37 明代

西元 1368～1643 年

[注音本]

全新

吳姐姐講歷史故事

吳涵碧◎著

目錄

【第780篇】孫貴妃的詭計。

明宣宗對孫貴妃三千寵愛在一身。孫貴妃誣陷胡皇后責罰她，宣宗萬分疼惜。

宣宗如果冷靜、理智一點，這件事至少有兩個疑點，第一，胡皇后從來沒有打過人，這次竟然打皇帝最心愛的貴妃，一定會立刻有宮女或太監飛報皇帝，一定會變成皇室內的大新聞，可是宣宗卻沒有一點信息。

第二，如果孫貴妃眞的被打了一百板，恐怕整個手掌會腫得像熊掌一般高，那裡會只是輕微的紅腫。可是宣宗這時腦子早已被孫貴妃的眼淚和嬌泣聲弄得一塌糊塗，根本失去了分析的能力。

『寶貝，』宣宗輕拍著孫貴妃的肩膀說：『你說，我該怎麼幫你？』

孫貴妃突地一抬頭，用手撥一撥零亂的髮鬢，瞪大了眼睛望著宣宗，用堅定的聲調說：『只有一個辦法，就是廢掉皇后。』

宣宗嚇了一跳，一臉苦笑道：『廢后乃國之大事，皇后又沒有犯錯，如何能廢？』

『誰說沒有？』孫貴妃立刻接口：『皇后多年不育，豈不是犯了七出之中最重要的一條？』（所謂七出，指的是不順父母者、無子者、淫僻者、嫉妒者、惡疾者、多口舌者、竊盜者，古代女子十分可憐，沒生兒子是滔

天大罪，猛生女兒仍然算是無子，女人不能繼承香火，生了也只是賠錢貨。）

宣宗整個人呆住了，不曉得該如何答腔，也差一點脫口而出：『可是，你也沒有爲朕生個兒子，是不是也同樣犯了七出？』但是這一句話太尖銳，宣宗害怕孫貴妃受不住，因此沒敢開口。

孫貴妃看到宣宗的神情，馬上拿出撒嬌的絕技，抱住宣宗的脖子，嗲聲地說：『皇上難道不肯立我爲皇后嗎？』

『寶貝，』宣宗瞇著眼睛說：『朕當然願意立你爲皇后，可是如果以胡皇后無子爲名廢后，那麼寶貝，你不是也沒生兒子嗎？』

『皇上，只要你立我爲皇后，我一定會生一個兒子。』孫貴妃把臉貼在宣宗的胸口。

『甚麼，你怎能保證你會生個兒子？』宣宗好奇地看著孫貴妃。

『皇上別管，你先發誓，我生個兒子就立我爲皇后。』孫貴妃在宣宗耳邊說。

宣宗心想，如果孫貴妃生子，而胡皇后又無子，廢胡皇后立孫后也許可以講得通。於是點點頭道：『好，朕發誓，如果你生個兒子，朕必立你爲皇后，不過，你怎麼知道你會生兒子呢？』

孫貴妃神秘地附在宣宗耳邊，悄悄地說了幾句，又把宣宗弄呆了。

原來，孫貴妃的計謀是讓宮女懷孕，孫貴妃僞裝懷孕，等宮女生了兒子，孫貴妃便接爲己子。後宮宮女，才貌庸俗，地位卑下，皇帝是不會理睬她們的。現在孫貴妃爲了要『借腹生子』，便想出了這個主意。

『朕只愛寶貝你呀，朕不要那些粗俗的宮女。』宣宗搖搖頭，他被孫貴妃迷得神魂顛倒，對其他女人都沒有興趣了。

『皇上，』孫貴妃從宣宗懷裡爬出來，站在宣宗面前，用嚴肅的神情說：『你該想一想，你還沒有兒子呢，後宮的女子那麼多，總該有人爲你生一個兒子接續香火吧！』

在古代，沒有兒子是一件很嚴重的事，尤其是皇帝，如果沒有兒子，皇位該傳給誰？孫貴妃的話，也不是沒有道理。

『皇上，』孫貴妃又依偎上來，換了柔和的口氣：『我知道你只愛我，你不愛她們，但你只是借她們的肚子爲你生一個兒子啊！』

『好吧！』宣宗望著孫貴妃：『你的計謀可要小心保密，否則會惹來大麻煩。』

孫貴妃誣告胡皇后的消息，傳到張太后耳中，太后趕緊去找胡皇后，太后一臉凜然道：『不是我說你，你也該好好整頓一下中宮，立一立皇后的威，既然孫貴妃說你打了她，你不妨就差人把她給找了來，眞的打她一頓，讓她以後別胡亂造謠，否則，她話說得多了，不免影響皇帝對你的觀感。』

胡皇后幽幽地說：『把孫貴妃找來揍一頓，這種事我做不出來。何況，皇上早已對我厭倦了。』胡皇后想到當初與皇上共賞詩文，濃情蜜意的時光，忍不住流下兩行清淚。

張太后既憐胡皇后的善良，又氣胡皇后的懦弱，她長長地嘆了一口氣：

『你如此忍讓，難怪孫貴妃可以騎在你的頭上。』

『唉，』胡皇后傷心地說：『這個皇后，當著也沒有意思，我早也不想當了，不如燒香拜佛，圖個清淨。』

看著胡皇后的可憐相，張太后只得搖搖頭，嘆一口氣，婆媳倆相對無言。

另一方面，孫貴妃正積極慫恿宣宗進行廢后計畫。

宣宗被孫貴妃的美色給迷昏了頭，同時也擔心不孝有三，無後爲大，尤其身肩大明帝國的命脈，沒有子嗣是萬萬不可以的。

閱讀心得

【第781篇】孫貴妃演出懷孕劇。

孫貴妃天使面孔，魔鬼心腸，她計畫利用宮女懷孕生子，她做一個現成媽媽，然後，以此爲由，廢掉胡皇后。

主意雖妙，畢竟是見不得人的勾當，宣宗不敢讓臣子們參與，免得受議論。於是，宣宗悄悄地找了四名得力的太監們共商大計。

宣宗找來的四名太監是范弘、王瑾、阮安與阮浪，這四名太監，大有來頭，值得一提。

明成祖時，張輔出征交阯，俘擄了一些小男童，其中有不少都長得眉清目秀，是人見人愛的小帥哥，張輔把他們都淨了身，送到成祖宮裡當小太監。

在這群小太監之中，尤其以范弘等四人最爲俊秀，眼睛大，鼻子挺，讓人忍不住多看幾眼。

明成祖非常歡喜這四個小男生，欣賞他們的聰明伶俐、乖巧懂事。有一天，明成祖終於忍不住說：『該教他們識字，受點教育，自然會更能幹。』

按明太祖曾經下令：『內監不得識字。』這一會兒，明成祖正在興頭上，他歡喜重用太監是出了名的，他所提拔的太監，例如鄭和等，又的確表現優越，誰又敢不識趣地搬出老祖宗的誡條，惹明成祖不悅。

在明成祖的特意栽培之下，范弘成為司禮監的掌印太監，精通文墨。阮安擅長於建造宮殿，修治運河。阮浪口才便給，文學修養深厚。這三人，明成祖後來賜給了明仁宗。

還有一人名叫王瑾，腦筋最為靈活，深得成祖歡喜，成祖把他送給成祖最疼的小孫子——明宣宗。

明宣宗自從得到王瑾，眞是如魚得水。明宣宗自己是個聰明人，非常受不了一般太監笨頭笨腦，一件事情交代下去．總是丟三忘四。

明宣宗經常對王瑾說：『眞希望能多有幾個王瑾，辦事就會俐落多了。』

為了製造多幾個王瑾，明宣宗在內廷設立了一個『內書堂』，挑選一些資質優異、聰明活潑的小太監送去讀書，至於明太祖規定『内監不得識字』的禁令，早就沒人去理會了。

宣宗訓練太監，花了極大的工夫，他設立的『内書堂』，也絕不是隨便混混的地方。他禮聘名師，嚴格管教，例如大學士陳山，便被派去主管内書堂，内書堂自宣德初年設立，一直延續到明朝滅亡爲止。

話說回頭，宣宗用了王瑾這一批人，自然是養兵千日，用於一時，如今孫貴妃想假懷孕、眞生子，王瑾拍著胸脯保證說：『包在我身上。』

宣宗離開之後，孫貴妃愼重地對王瑾說：『這件事絕不能讓外界知道，尤其是未來的皇子，更不能讓他知道生母是誰。』

王瑾立刻接口：『當然，子生母亡，絕不能留活口。』

孫貴妃點點頭，美麗的臉龐，不自覺浮出殘忍的微笑。

宣宗按照孫貴妃的計謀，每天和一些宮女在一起，這是很反常的，宮女們受寵若驚，禁不住興奮起來。不久，有一位宮女懷了孕，這位懷了孕的宮女立刻被王瑾安排到一處祕密場所，不與外界接觸，給予最好的食物，表面上說是既然懷了孕，要特別照顧，其實是保密，不讓外界知道。

在宮女懷了孕的同時，王瑾也放出消息，說是孫貴妃懷孕了。接下來，就是孫貴妃演她的『懷孕劇』了。

懷孕當然得讓肚子慢慢大了起來，於是，先在肚子上墊毛巾，愈墊愈多，最後，裝入了枕頭。

孫貴妃一向擅長演戲，一會兒鬧著非吃酸梅不可，一會兒說是害喜嚴重，不能進食，反正頤指氣使，亂發脾氣，把皇宮裡上上下下整個夠。

宣德二年十一月，孫貴妃的懷孕劇達到最高潮，眞正懷孕的宮女，生下一個白白胖胖的小男孩，做母親的還沒有看到親生的嬰兒，小嬰兒就被王瑾給抱走了。

『孩子我先抱著。』王瑾裝出一副笑臉，對那宮女說：『你要好好靜養，皇上送你一碗人參湯，補一補身子，你趕快喝吧。』

宮女感激地接過人參湯，一口氣就喝了下去。剛喝完不久，宮女就覺得天旋地轉，兩眼發黑，連叫都沒有力氣，糊裡糊塗命歸黃泉，再也見不到她親生的嬰兒了。

閱讀心得

【第782篇】胡皇后心碎坤寧宮。

孫貴妃設計讓宮女懷孕，果然，宮女生下一個白白胖胖的小男孩。同一個時候，孫貴妃也『臨盆』了，『生』了人見人疼的男嬰。小男嬰其實是宮女所生的，可是，那宮女已經永遠地離開人間，沒人知道她的姓名，也沒人知道她埋骨何處。

孫貴妃的計謀終於成功了，她抱著嬰兒，那份喜悅不是來自母性的情愛，而是即將奪得權力的滿足感。

『恭喜啊，寶貝！』宣宗握著神采飛揚的『產婦』的手，竟然忘記了小嬰兒不是孫貴妃所生的。

小男孩的降生，使宣宗十分興奮，他爲這嬰兒取名爲朱祁鎮，這小男孩就是後來的明英宗。

『皇上，』孫貴妃躺在床上，用嬌滴滴的聲音說：『我已經有了兒子，皇上，還記得你發過的誓嗎？』

宣宗有些遲疑：『母以子貴，你如今是皇母，又何必非要當皇后，誰又敢欺負你？』

『甚麼？』孫貴妃霍地從床上坐了起來，發出尖銳的高音：『我只是妃子，萬一，有一天，皇后生了兒子，我的兒子就當不成太子，那我怎麼

辦？』

宣宗嘆一口氣：『我保證你，我不再去皇后那兒，這樣你總放心了吧。』

孫貴妃杏眼圓瞪，簡直像是變了一個人，雙手把小嬰兒舉了起來：『你不廢皇后，我就現在把他摔死。』

『這可使不得。』宣宗嚇壞了，連聲答道：『好，我答應你。』

過了幾天，孫貴妃『坐完月子』，見宣宗並無動靜，又纏住宣宗要求廢掉胡皇后。

宣宗頗有一些爲難，他期期艾艾地解釋：『皇后未曾失德，拿什麼理由廢后？廢后是一國大事，並非只是家務事。何況，在普通民間，大婦未生育、男子娶小妾、生子繼承香火，這是常有之事，卻未聞因此廢掉大婦。』

宣宗的解釋，孫貴妃根本聽不進去，她思索了一會兒，扮成一副甜甜蜜蜜的笑臉湊了上來。宣宗一見美人笑，立即肉酥骨爛，腦筋也就糊裡糊塗起來。

孫貴妃嗲聲嗲氣道：『當然，如果要皇上廢后，讓皇上爲難，的確這也說不過去。不如，由皇后自請退位，那不是最簡便的方法嗎？』

宣宗暗吃一驚，果眞是最毒婦人心，不過，假如非要廢掉胡皇后，這倒不失爲一個好方法。

於是宣宗來到坤寧宮，看到胡皇后正在唸佛經。

『皇后，』宣宗心裡有些不安，可是腦子裡孫貴妃的美麗倩影在閃動著，終於鼓起勇氣開了口：『你身體一直不好，又沒有生兒子，我想你是不是可以把皇后的位讓出來？』

『皇后位？』胡皇后用幽怨的眼光望著宣宗：『皇上，我並不在意皇后的頭銜，我只希望，你不要忘記我們一起作詩讀文的那一段日子。』

『皇后，我不會忘記的。』宣宗慚愧地低下頭。

『可是要把皇后位給孫貴妃？』胡皇后輕聲地問道。

宣宗點點頭，掩不住內心的愧疚。

孫貴妃假懷孕的事，胡皇后早就知道，當然，也有人勸她出面干涉。胡皇后這些年來，病也病夠了，氣也氣飽了，她根本不善於鬥爭、使詐，她不齒於孫貴妃的所作所爲，卻也懶得追問，閒來無事，一人看看佛經，求取心靈的平靜。

不料，閉門家中坐，禍從天上來。宣宗要求她自請退位，胡皇后當然是不甘願的，當然是生氣的，她是皇后，她大可以拒絕。

可是，懦弱的個性，使她連發一頓脾氣的勇氣都沒有。面對宣宗的一臉愧疚和哀求的眼神，她的心碎了，她實在是愛這個皇帝的，現在這個皇帝變了，她卻沒有變，那一份濃濃的愛，使她的心像撕裂一般痛，她實在不在乎這個皇后位子，她感到絕望的是那一份追不回來的愛情。

『皇后，求你答應吧！』這是宣宗第三次請求，讓胡皇后最感到難過的是皇帝的語氣，似乎一次比一次冷。

『唉，我今晚就寫一份奏章，自請退讓皇后位。』胡皇后閉著眼說，她不敢看宣宗，她怕一睜眼就會昏倒。

當天晚上，胡皇后便上了一個奏章，自稱由於身體有病，多年無子，十分慚愧，情願辭去皇后之位，以便早定國本。

閱讀心得

【第783篇】

孫貴妃奪位。

孫貴妃慫恿宣宗，逼迫胡皇后退位，胡皇后含痛忍悲自請退位。

看到了胡皇后的奏本，宣宗興奮莫名，趕快去孫貴妃那兒，報告好消息。

聽完宣宗的話，孫貴妃眉毛一皺，冷冷地說：『這樣不好，會讓天下人誤以爲我有心搶皇后的位置。』

宣宗頗爲氣餒，他心想，本來就是你一直在搶嘛，口中卻百般憐惜道：

『不然，你想怎麼辦？』

孫貴妃嘟著嘴道：『不如，我也上一個奏章。』

於是，孫貴妃也上了一個表，客氣地推辭：『皇后病癒之後，自然會生兒子，吾子豈敢先於皇后之子。』

孫貴妃的奏章當然是虛情假意的，她怕胡皇后不再唱這齣戲，便要宣宗再向胡皇后逼迫，讓胡皇后再上奏章，表示堅決要讓出皇后位，並且請立朱祁鎮爲太子。

胡皇后第二次奏章呈上以後，孫貴妃立刻也上了奏章，表示謙讓，就這樣一來一往，一共鬧了三回，孫貴妃既要裡子，又要面子，胡皇后被整得終日眼淚汪汪，身體更加孱弱。張太后想要插手，胡皇后卻加以婉拒，

胡皇后絕望地說：『算了，反正孫貴妃不把皇后拿到手，她是無論如何不甘心的。』

在中國古代，廢后是一件大事，可是明朝重臣楊溥、楊榮、楊士奇都沒有出面講話，因爲他三人看得很清楚，明宣宗一心一意都在孫貴妃身上，宣宗在其他方面，也算得上是位明君，何必爲了女人之事，惹得皇帝老爺不開心？所以，『三楊』雖也曾耳聞宮闈之間種種不平，卻寧可睜一隻眼，閉一隻眼。由於這一件事，有人指責明朝『三楊』實不能譽之爲一代賢相。

宣德三年三月，宣宗終於正式廢胡皇后，賜號爲靜慈仙師，仍在宮中潛修靜養，孫貴妃大搖大擺，正式登上皇后的寶座。

胡皇后賢慧貞潔，無故被廢，儘管孫貴妃擅長演戲，宮中上上下下心裡雪亮，人人同情胡皇后。這件事不脛而走，傳到宮外，天下人都暗暗爲胡皇后抱不平。

張太后是最最同情胡皇后的，張太后最清楚孫貴妃，不，現在是孫皇后。雖然胡皇后已成廢后，張太后擔心，孫皇后會繼續欺負胡皇后，說不定還會下毒手。

於是，張太后對宣宗說：『以後，胡皇后就和我一起住，解解悶。』宣宗做了虧心事，還敢說一聲『不』嗎？當然，只有乖乖聽太后的話。

張太后不滿孫皇后的毒辣，爲了替胡皇后求個公道，自此以後，每次宴會，她都把胡皇后的位子，安排在自己身邊，所以，孫皇后即使貴爲皇后，位子仍在胡皇后下面。

孫皇后每次宴會回去，總是嘔得又哭又鬧，氣呼呼地抱怨：『我還是太后一手帶大的，如此當衆羞辱我，給我難堪，就因爲我人長得美，誰都要妒忌，都要踩一脚。』

宣宗兩手一攤，無可奈何道：『我總不能干涉她老人家。』另外一方面，孫貴妃假懷孕，逼走胡皇后之事，也逐漸爲外界所聞，甚且有人直接問到宣宗。

宣宗很尷尬，訕訕地解釋：『此朕少年事。』表示是年紀輕不懂事。宣宗是賢君，素來享美名，爲了這件事，外界批評，形象受損，他心中亦不無遺憾。

宣宗在位，僅僅十年，得病而死，宮女生下的朱祁鎭即位，是爲英宗。

按理說來，母以子貴，這該是孫皇后揚眉吐氣的日子了。孫皇后改稱爲孫太后，張太后則改稱爲太皇太后。

但是，張太皇太后仍然是大權一把抓，實在是她自太子妃起，被訓練成爲一個能幹的女強人，對朝政熟悉，有爲有守，人人敬愛，朝中重臣人人信服。

至於孫太后，除了長相漂亮，會耍手段，到底腹中無墨水，撒嬌耍賴她在行，眞要她看奏章，立刻顯現出無知。

張太皇太后深知孫太后是怎樣的一塊料，完全不准孫太后插手政事，在這樣的情形之下，胡皇后才能靠著太皇太后的保護，苟延殘喘。

一直到英宗正統七年，張太皇太后去世，第二年，胡廢后受不住打擊，也病逝了。

後來，孫太后也過世之後，明英宗覺得胡皇后賢而被廢，天下人為之不平，這才修陵寢，追謚為皇后。

閱讀心得

【第784篇】

蟋蟀皇帝明宣宗。

在明史之中，明宣宗堪稱爲好皇帝，不過，皇帝總是皇帝，手握無限大權，皇帝打一個噴嚏，天下都爲之騷動。因此，明宣宗閒來無事時，喜歡鬥鬥蟋蟀，卻也攪得百姓不寧，並且得到一個『蟋蟀皇帝』的不雅綽號。

蟋蟀是節肢動物門，昆蟲綱，直翅目，蟋蟀科，後腳強大而善躍，棲於陰濕的石礫下或土中。蟋蟀好鬥，而且必鬥得你死我活方肯罷休，因此，有許多人歡喜看鬥蟋蟀，覺得過癮而刺激。

南宋的奸相賈似道便以鬥蟋蟀而聞名，並且以此下賭注，玩得不亦樂乎。困守襄陽達三年之久的呂文煥，苦候救兵未到，聽說宰相大人忙於鬥蟋蟀的『軍國大事』，無暇顧及宋朝邊境的軍國大事，氣得投降蒙古，天下人都為呂文煥抱不平。

話說回頭，鬥鬥蟋蟀，原是平日小孩子都歡喜的遊戲，倒也無傷大雅。但是，皇帝玩起來，卻是非同小可。

宣德九年，明宣宗下令蘇州知府況鐘，聖旨上說，過去內監安兒和吉祥採取不少促織（即蟋蟀），今年所進蟋蟀數量減少，又有許多是細弱瘦小不堪一戰的，希望況鐘至少要獻上一千隻蟋蟀。

皇帝竟然親自下詔要求蟋蟀，這也是少見的事。

花隱掖垣暮
啾啾棲鳥過
星臨萬户動
月傍九霄多
不寢聽金鑰
因風想玉珂
明朝有封事
數問夜如何

至於蟋蟀爲什麼叫促織呢？這是因爲蟋蟀瞿瞿瞿瞿，鳴聲有如急遽的織布聲，所以又名促織，又名經緯，還有叫吟蛩的，同時由於蟋蟀出現於秋風初起，正是催織秋衣的時間，才有『促織鳴，懶婦驚』的諺語。

由於宣宗喜好鬥蟋蟀，在《皇明紀略》一書中，記載著這麼一段故事：

宣宗歡喜鬥蟋蟀，派人赴江南搜尋，價格飛漲，一隻善鬥的蟋蟀，索價高達十數金。

當時楓橋有一糧長，爲了找尋蟋蟀費盡了千辛萬苦，最後，皇天不負苦心人，終於找到一隻武功高強的蟋蟀，偏偏對方不賣，並且開出條件：『除非與你所騎的駿馬交換。』

糧長心想，名馬雖然不可多得，但是如今是蟋蟀當道，如果呈獻上去，也許平步青雲，日後在官場有說不完的好處。

因此，糧長一拍胸脯，豪氣萬千地說：『行，咱們換了。』說著，糧長翻身下馬，把馬鞭交出，然後，歡天喜地把蟋蟀當寶貝一般給捧回家。

糧長有一妻一妾，平日吵吵鬧鬧，不甚和睦。今日，久等糧長未歸，二人不約而同，站在門口盼郎返家。

等了又等，盼了又盼，才遠遠見到糧長，手裡捧了一個小竹簍，臉上掛著傻笑，搖搖晃晃地走回來。

一妻一妾立刻迎了上去，一前一後地撒嬌道：『怎麼如此晚才回來？』『菜飯都涼了。』同時驚異地問道：『老爺，您的馬呢，怎麼弄丟了？』

糧長口裡哼著小調，手裡揚著小竹簍，興奮莫名地說：『換了這個了。』

『這是什麼寶貝？』

『蟋蟀啊。』

『什麼，老爺把名馬換成了蟋蟀！』

妻妾二人一塊驚叫，彼此對望了一眼，幾乎不敢相信自己的耳朵。糧長的名馬，可是眞正天山名駒，平日愛之若寶，甚且不讓家中馬夫照顧，糧長總是自己親自餵牠吃草，拿著刷子爲牠理毛，名馬通靈，對糧長也有一份特殊的感情，今天怎麼哪一根筋不對？竟然用蟋蟀給換了。

糧長卻笑容滿面：『今晚，我要好好慶祝，你們快去廚房弄幾個下酒的小菜來。』

妻妾二人一向互相看不順眼，這會兒卻忍不住互相商量：『蟋蟀有甚麼用？』

『我也不知道。』

『又不能下鍋去炒。』

『老爺怎麼了？』

『該不是病了吧？』

兩人研究了半天，就差沒有脫口而出：『老爺該不是瘋了吧？』

晚飯的時候，糧長主動解了謎，告訴她們，當今皇帝歡喜鬥蟋蟀，某人某人都因此官運亨通，『所以嘛，』糧長瞇起了眼：『我的未來就在牠身上。』

如此說來，妻妾二人恍然大悟，對蟋蟀可不敢小覷，卻又耐不住好奇。

妾對妻說：『咱們何不偷偷看一看，瞧瞧主掌咱們命運的小東西，到底有何不同。』

妻說：『好啊，我正有此意，偷看一眼，反正老爺也不會知道。』

於是，一妻一妾躡手躡脚，潛入老爺的書房，屏住氣息，捧出小竹簍，悄悄打開一條小縫，正準備探頭一看究竟，說時遲，那時快，矯健的蟋蟀一躍而出，一蹦一躍，跳出窗外，刹那之間，完全失去了蹤影。

妻妾二人呆在書房，以爲自己在做夢，兩個人一握手，都是透心冰涼。她二人盤算，老爺一向暴躁，如今闖了這麼大的禍，絕饒不了她們，因此一妻一妾當晚上吊。

第二天，老爺醒了，看到空空如也的竹簍，一對僵硬的屍體，痛不欲生，也跟著上吊了。

明人黃景昕在《國史唯疑》一書中，也記載了同樣一件『一隻蟋蟀抵三條人命』的悲慘故事。

【第785篇】

蒲松齡諷刺明宣宗鬥蟋蟀。

明宣宗歡喜鬥蟋蟀，在他個人而言，這是休閒是娛樂，但是對百姓而言，卻是一大負擔，眞正不折不扣『把自己的快樂建築在他人的痛苦之上』。

明朝人不敢批評明朝的皇帝，到了清朝有一名蒲松齡者，在他所寫的《聊齋誌異》的小說之中，卻寫了一篇『促織』大大地諷刺了明宣宗。

蒲松齡，字留仙，號柳泉，世稱聊齋先生，山東淄川人，他小時候就有文名，天資聰慧，學識淵博，可是沒有考運，每次應考，每次名落孫山外，一直拖到七十二歲高齡，才勉勉強強補了一個貢生。

在中國社會中，屢試不第的書生是百無一用，只能教教小孩子，當個私塾老師，為鄉里所瞧不起。蒲松齡生活貧困，有志難伸，閒來無事，寫寫小說自娛娛人。

《聊齋誌異》大多描寫妖狐鬼怪之事，尤其擅長描寫鬼怪化身為美女，無不賢淑多情，大大安慰了落第的書生。以唐人傳奇式的筆墨，寫人世陰陽的怪異，讓讀者覺得這些鬼怪，不但不可怕，反而可親可愛。因此，《聊齋誌異》一書大受知識份子的歡迎，每年到了『中元節』，更是熱門的話題。

在名為『促織』的小說之中，蒲松齡是這麼敘述著：

宣宗宣德年間，皇宮之中流行鬥蟋蟀，每年向民間要求大量的蟋蟀。蟋蟀這個玩意，原來並非陝西的特產，但是陝西華陰縣縣令，希望能利用蟋蟀平步青雲，因此下令鄉官：『你幫我多找一些蟋蟀來，找到好的，用籠子裝著養好，我會出高價收買。』

縣令當然是不會花錢購買的，鄉官卻不得不照辦。反正上面推給他，他也有辦法再往下推，於是，鄉官就假借名目，把抓蟋蟀這件事加派到了民間。

鄉官同時還要找一個人專門負責此事，他想來想去，有一個人倒是挺不錯的，那就是一個叫成名的私塾老師。

成名是屢試不中的落拓書生，爲人既木訥又迂腐，非但鄉里的人瞧他不起，成名的妻子尤其不滿意這個腦袋冬烘的先生。

鄉官欺負老實人，就把成名找來，滿面笑容對他說：『在我們縣裡，你算是肚子裡最有墨水的人了。』

成名一抱拳：『豈敢，豈敢。』

鄉官皮笑肉不笑道：『因此，我特別推薦你當里正。』

『喔。』成名沒多細想。

鄉官清一清喉嚨道：『里正的任務主要是捉蟋蟀。』

『什麼？』老實的成名差一點沒昏過去。他不解道：『捉蟋蟀與我粗懂文墨有何關係？』

『當然有，因爲你比較負責任，就這麼說定了。』

鄉官不由分說，給成名派了這麼一項任務。成名急壞了，又送厚禮，又託人說情，鄉官仍是不改初衷，非讓成名接下任務不可。過了沒有多久，爲了尋找蟋蟀，成名僅有一點薄薄的財產也用光了。上頭催繳蟋蟀又催得窮兇極惡，成名也不敢擺出里正的威風，再向老百姓榨取，他簡直快要被逼瘋了。

成名乾脆不再起床，他躺在床上，瞪著天花板，研究如何自殺，但是，又沒有勇氣眞的上吊。

成名的妻子，一向看成名不順眼，在一旁冷冷地說：『死又能解決問題嗎？你還不如自己去找找看，萬一找著了，豈不妙哉。』

成名回答：『好吧。』

從此以後，成名每天天沒亮，就帶著竹筒絲簍出門，凡是雜草叢生之處，就費盡了力，把石頭搬開，用針挑了又挑，試了又試，可以說，什麼辦法都用過了，還是找不著，即或偶爾捕到一兩隻，又是老弱不中用的，與成名差不多般不堪一擊。

上頭的鄉官催得急，成名空手而去，被狠狠打了一百個大板，兩條大腿之間又是膿又是血，恐怖極了，這一會兒，癱在床上，痛苦呻吟，哀哀流淚，就只想自盡。

成名夫婦一向是『貧賤夫妻百事哀』，感情非常淡薄，到底夫妻一場，也不能見死不救。她對成名說：『最近，村子裡來了一個駝背巫婆，聽說靈得很，我不如去問問看。』

成名一向是『子不語怪力亂神』的擁護者，向來反對迷信，現在是眼前只有死路一條，也不反對死馬當活馬醫，於是，點點頭道：『你把咱們最後剩下的一點銀子帶去吧，反正，駝背巫婆不靈的話，咱們也不用活了。』

於是，成名的妻子，抱著最後的一線希望，直奔駝背巫婆處。

閱讀心得

【第786篇】

成名捉蟋蟀。

蒲松齡鉅著《聊齋誌異》之中，有一篇小說，名爲『促織』，內容是敘述有一迂腐的私塾先生成名，很不幸地被狡猾的胥吏任命爲里正，任務是捕捉蟋蟀。成名沒有抓蟋蟀的本事，被鄉官狠狠的打了一百板屁股，皮開肉綻，膿血流漓，一籌莫展之下，只有讓妻子去求神問卜。

成妻慌慌張張尋到駝背巫婆之處，只見人聲鼎沸，有白髮婆娑的老婦人，也有青春美麗的少女，個個懷抱著不同的希望而來。成妻進入屋舍，只見密室外垂著竹簾，竹簾外設著香几。凡是問卜者先把香插入鼎中，一拜再拜，駝背巫婆嘴裡嗚哩嗚啦，不曉得呢喃些什麼。

接著，竹簾裡拋擲出一張小紙片，問卜者趕緊去拿，撿起來一看，臉上露出欣喜滿意的笑容。因爲紙中所回答的，正是問卜者心中想問的。奇怪，駝背巫婆眞有一套。

輪到成名的妻子了，她學樣地先把錢供在案上，焚了香，拜了天……，過了一會兒，簾內果然又拋出一張小紙片。

成妻驚喜萬分地看揭曉，奇怪的是，紙片上沒有一個字，卻畫了一幅地圖，圖中央彷彿是座寺廟，後面小山下，橫臥怪石，針針叢棘，一隻巨大的蟋蟀停在石上。成妻把紙片攎在懷裡，急急返家。

成名原本想自殺，後來決定先等老婆回來再說。成妻一入門，成名顧不得大腿流膿，急奔向前，一把抓住紙片，看了又看，喃喃自語：『駝背巫婆莫非是告訴我獵取蟋蟀的地方嗎？』

成名又瞇起眼睛，細細端詳著畫片：『這座廟，看來似乎是村東的大佛閣。』

成妻忍不住道：『別研究了，你趕快去大佛閣試試看嘛。』

於是，成名先在大腿換了藥，勉勉強強拄著拐杖，一瘸一瘸地前往大佛閣。他找到大佛閣，繞到後山，只見蹲石鱗鱗，頗像駝背巫婆畫中所示。

成名大喜過望，也顧不得大腿一陣一陣的抽痛，側著身子，仔細聆聽，在草叢之中慢慢搜尋，簡直像是大海撈針，折騰了半天，一無所得。成名心情灰惡，頹然地坐在石頭上發呆，他長長地嘆了一口氣：『心目耳力俱窮，看來只有死路一條了。』

成名正在自怨自艾，忽的，一隻癩蝦蟆猛然躍起，成名一愣，突然想起，駝背巫婆畫中也有一隻癩蝦蟆，莫非，莫非癩蝦蟆是天上派來的指引者！

成名驚起，緊隨癩蝦蟆，癩蝦蟆遁入草間，成名也蹲下身子，在草中搜尋，果然，皇天不負苦心人，成名發現了蟋蟀出沒的痕跡，再往下搜，赫然出現一個石穴，八成是蟋蟀的住處。成名拿了一根草，用草尖掭了又掭，毫無動靜。

接著，成名用手接了一些水，往石穴一灌，居然眞的出現一隻蟋蟀，這蟋蟀長得英俊壯健，姿態不凡，成名大喜，猛撲而上，捉入竹簍之中。

成名瞇著眼睛，凝視躲在竹簍中的蟋蟀，只見巨身修尾，青項金翅，一副不好惹的模樣，實乃不可多得的上好貨色。

成名樂壞了，他一路輕快飛奔回家，彷彿打從出娘胎爲止，沒有一天比此刻更開心，他回想少年家貧，十載寒窗，名落孫山，人生似乎是一連串失意與困頓的連結，唯有這一剎那，手中握著竹簍，有前所未有的充實與滿足。

成名回到家，成妻迎上前來，著急地問：『怎麼樣？』

成名得意地搖一搖竹簍，神氣萬分道：『你瞧，這是什麼？』

『這麼說，駝背巫婆果然靈驗？』成妻吃驚地問成名。

『那還用得著說嗎？』成名一昂首：

『不過，當然最後仍靠在下的本事。』

接著，成名把如何經癩蝦蟆指點，如何在草叢裡苦苦追尋的經過，詳詳細細描述了一番，當然，少不得加油添醬，增加趣味，成名講得口沫橫飛，他從來不知道自己的口才這麼好。

『哼，你還得謝謝我有幫夫運。』成名的妻子在旁啐道：『要不是我去求駝背巫婆，你仍然在尋死尋活。』

『有謝娘子。』成名作揖，仿戲中口白，把成妻逗笑了。他二人一向是貧賤夫妻百事哀，成妻素來潑辣，對成名向來沒好臉色，成妻如此嬌柔，是從結婚那一天開始從來沒有過的，成名簡直樂壞了，他不斷的嘮嘮叨叨：

『這叫做否極泰來。』

當天晚上，成妻把家中僅餘的一隻大公雞給宰了，夫妻二人和九歲的小毛，歡歡喜喜打了一場牙祭。小毛打從出娘胎，沒見過家中如此樂樂融融，比過新年還像過新年。

小毛問媽媽：『今天爲甚麼事要慶祝？』

成妻愉快地說：『還不是因爲你爸爸捉到一隻蟋蟀。』

這一問一答，埋下了禍根，欲知後事，請看下篇的『吳姐姐講歷史故事』。

閱讀心得

【第787篇】

聊齋誌異中的蟋蟀。

在蒲松齡所寫的《聊齋誌異》——『促織』篇中，成名費盡千辛萬苦，得到駝背巫婆的指引，終於皇天不負苦心人，捉到一隻雄赳赳的蟋蟀。他這條老命總算可以保住了。

成名對待這隻蟋蟀，比對老祖宗還要殷勤，每日蟹白栗黃，張羅食料，愛護備至，只待養到規定的日期，拿出去獻寶。

成名的兒子小毛，九歲大，正是調皮搗蛋的年歲。他也鬥過蟋蟀，他不曉得爲甚麼平日腦袋冬烘，個性迂腐，只曉得逼著他讀書寫字的老爸，突然對蟋蟀感興趣。小毛也不明白，一向歡喜打人罵人的媽媽，爲甚麼換了一個人似的，沒事偷偷發笑，把餵食蟋蟀當作了不起的大事一件。

小毛心想：『非去看看蟋蟀不可。』

這個念頭一起，小毛再也忍耐不住，他告訴自己：『看一眼有甚麼關係，媽媽又不會知道，蟋蟀也不會告狀。』

小毛一拍手，『對——』就跑到後院，用手揭開盆蓋。這一揭，不得了，蟋蟀一躍而出，小毛嚇壞了，兩手用力一拍，拍是拍到了，可惜用力過猛，這一拍之下，蟋蟀翅膀也掉了，整個身子劈成兩半。

小毛慌了，用手抖落蟋蟀，大哭大叫，跑到廚房找媽媽。

成妻一聽，整個人也呆住了，順手甩過一巴掌：『你這個孽子業根，你完了，你爸爸回來，用甚麼方法處罰你，我看，你還不如給我去死。』成妻臉色灰死，小毛看呆了，他知道媽媽一向不慈祥，但也從未見過媽媽有如此兇惡的表情。

成名回來了，口中哼著小調，心情顯然十分愉快，一向愁眉不展、自嘆懷才不遇，不過，自從捉到了蟋蟀，一切都不一樣了。他一進門，成妻就報告壞消息：『蟋蟀死了。』

『甚麼？』成名不敢相信自己的耳朵。

成妻也一肚子的火，沒好氣地回答：『你的寶貝蟋蟀被你的寶貝兒子弄死了。』

『這個混帳！』成名氣瘋了，拿著棍子，四處追趕小毛。搜遍了屋内屋外，不見蹤影。成妻突然大叫：『不得了，小毛投井自殺了。』夫妻二人七手八脚把小毛拉上來，由一腔怒氣轉化爲滿腹悲傷，呼天搶地，哭得好不傷心，從中午哭到傍晚，最後，勉強收拾哀痛，拿了一張草蓆，準備裹屍體。

正在要捲屍體的時候，成名發現小毛鼻孔裡還有一絲氣息，夫妻倆喜出望外，把小毛放回床榻，到了半夜，小毛果然活回來了，但是調皮搗蛋的小毛，卻成爲神情呆癡，昏昏欲睡。

成名折騰了一天，既然小毛活回來了，也顧不得他變傻了。成名癡癡地望著竹簍，只覺得萬念俱灰，整個晚上，夫妻二人牛衣對泣，從黑夜到天明。

忽然之間，成名聽到『瞿瞿』蟋蟀的叫聲，他推開門一看，居然看到一隻蟋蟀，成名急急欲捕，蟋蟀一躍而去，他一隻手正要舉起，蟋蟀又躍過牆壁，轉眼不見了。成名徘徊四顧，只見蟋蟀停在壁上，成名湊前一看，短短小小，黑黑瘦瘦，遠不及原來那隻漂亮，不過，畢竟還是一隻蟋蟀，成名把牠養入盆中，取名小蟲。

成名村子裡有一個遊手好閒的少年，馴養了一隻大蟋蟀，名爲蟹殼青，每戰皆勝，少年十分得意，四處找人比劃，把村子裡大大小小蟋蟀打得全軍覆沒。

少年聽說成名養了一隻小蟲，登門拜訪，存心挑釁。成名先是遮遮掩掩，少年非看不可，一看小蟲的幼細模樣，少年掩口而笑：『好，比比看嘛。』

成名不肯，少年堅持。成名繼而一想，以小蟲的能耐，遲早也是死路一條，不如博少年一粲吧。

於是蟹殼青與小蟲並列盆中。小蟲趴著不動，呆若木雞，少年大笑，試著用豬鬣撩撥蟲鬚，小蟲依舊不動，少年笑得更厲害，眼淚都要流出來了，再次撩撥。小蟲火了，直往前奔，振奮作聲，一躍而起，張尾伸鬚，就差一口沒咬蟹殼青的脖子，少年急得大喊：『好了，停止！』把蟹殼青從鬼門關救了回來。小蟲驕傲地翹翅長鳴，彷彿表示謝謝主人知遇之恩。成名大喜，對著小蟲看呆了。忽然，屋外走進來一隻大公雞，瞄準小蟲就是一啄。成名嚇呆了，手足失措。卻見公雞伸頸擺撲，似乎渾身難受，原來小蟲停在雞冠上，慧黠而靈巧，成名更是倍加寶愛。

過了幾天，成名把小蟲上繳鄉官，鄉官嫌小蟲弱細，成名立刻搬出小蟲力克蟹殼青的輝煌戰果。鄉官不信，當場拿來其他蟋蟀比劃，小蟲大獲全勝。

於是，鄉官送給撫軍，撫軍把小蟲放在金籠裡，又獻給了皇帝。宣宗迷上了小蟲，用牠與蝴蝶、螳螂、油利撻、青絲額比武，小蟲是常勝軍，而且每每聽到琴瑟之聲，就會翩翩起舞，宣宗龍心大悅，賜給撫軍名馬衣緞。

撫軍不忘謝鄉官，鄉官不忘謝成名，不但免了成名的勞役，還設法讓他當了秀才。

又過了一年，成名的兒子忽然不藥而癒，精神復舊，他告訴爸媽：『我化身蟋蟀，輕捷善鬥，到今天才醒過來。』

原來，小蟲是小毛變的。成名夫婦摟著小毛，親了又親，喜劇收場。不過，喜劇的背後，顯露了多少專制的悲傷。

閱讀心得

【第788篇】

明宣宗夜訪楊士奇。

明宣宗除了喜歡鬥鬥蟋蟀以外，大致而言，他是一個好皇帝，在位十年之間，國家安定，民生富庶，他所用的舊臣如楊士奇、楊榮、楊溥……都是穩練持重的儒臣，尤其是楊士奇，最爲耿直。

明宣宗歡喜微服出宮，事實上，皇宮雖大雖美，長年累月深居宮中，任何人都會想出去透一透氣。

宣宗宣德六年七月，在一個月黑風高的晚上，宣宗一時興起，他帶了四名騎士，夜訪楊士奇。

宣宗左手牽韁，右手拿著馬鞭，『刷刷』地在楊宅大門上抽。楊士奇驚惶失措，跪在地上叩首：『陛下奈何以宗廟社稷之身，如此自輕。』

宣宗心直口快道：『朕想到一件事，急著告訴卿，所以朕等不及，馬上就來了。』

宣宗原以爲，深夜造訪，可以給楊士奇一個意外的驚喜，想想看，皇帝親自來看他，多麼有面子的事。

可是，宣宗觀察楊士奇的表情，似乎不但沒有一絲喜悅，反而愁眉不展的模樣，宣宗怏怏，覺得挺掃興的。於是，原來想講的話也埋在肚子裡，

帶了四名騎士，回到宮中。

第二天，宣宗依然滿腹疑惑，也不曉得楊士奇爲甚麼不歡迎天子光臨。

於是，宣宗派遣了一名太監跑去問楊士奇。

太監問楊士奇：『皇上不明白，微行有何不可？』

楊士奇回答：『陛下地位崇高，萬一在外面，遇上寃夫怨卒，來個出其不意，傷了皇上，那可是不得不憂慮的事。』

太監回去稟報宣宗，宣宗聽了，不怎麼以爲然。

過了十天左右，在楊士奇住宅附近，果然捉到了兩名強盜，懷有異謀。

宣宗知道了，拍拍胸口，直呼『好險！』於是，他立刻召見楊士奇對他說：『我從今而後，才更知道卿愛朕也。』

宣宗宣德十年，宣宗忽然病倒了，這一病沒拖多久，宣宗就與世長辭了，死時不過只有三十八歲。

此時，孫貴妃假懷孕生下的太子，不過只有九歲大，如何撐得起一個國家？整個朝廷都陷入一片哀愁當中，因此，外界紛紛傳言，張太后準備讓仁宗另一個兒子襄王繼承皇位。

大學士楊士奇、楊榮憂心忡忡去見太后。太后到了乾清宮，牽著九歲大、拖著兩條小辮子的小皇帝，對大家說：『這是新天子。』

於是，楊士奇等人，一塊兒跪在地上，齊聲呼喊：『萬歲、萬歲、萬萬歲。』是爲明英宗。

皇位雖定，浮議雖息，畢竟英宗只是一個毛孩子。所以有人跪請：『希望太皇太后垂簾聽政，安定天下。』（宣宗過世之後，皇太后尊爲太皇太后，蛇蠍美人孫皇后則被尊爲孫太后。）

太皇太后不領這個情，她板起臉來訓斥道：『毋破壞我祖宗家法。』太皇太后極有威嚴，而且她的個性是表裡如一，絕不會表面上拒絕，內心裡歡喜，因此，她這一喝斥，也沒人敢再提。不過，事實上，國家大政仍然取決於太皇太后，朝中公卿也還是宣宗時的一班元老，大體而言，仍然維持著舊有的局面。

不過，到底太皇太后年歲已高，到底老臣逐漸凋謝力不從心，更重要的是，畢竟換了新天子，尤其新天子寵信一個叫王振的宦官，明朝的國運開始下滑……。

王振是河北蔚州人，小時候，曾經在家鄉讀過一點書，混不出什麼名堂。後來看到皇帝頒佈詔書，徵求入宮服務者。王振心一橫，自行閹割，進了宮廷當了小太監。

恰好，當時明宣宗設立了內書堂，選聽明伶俐的小太監，教他們讀書識字。王振也進了內書堂，因為他頭腦靈活，又原先就有些根柢，基礎比較好，沒多久，就成為內書堂中的資優生，順便教一些宮人識字，於是，上上下下都尊他一聲『王先生』。

宮女稱王振為王先生，沒甚麼稀奇，王先生最大的本事是，連太子朱祁鎮都尊他一聲王先生，並且對他又敬又愛。

朱祁鎮是孫貴妃假懷孕，利用宮女得來的兒子，他含著金匙出生，又因爲孫貴妃不放心，在四個月大的時候，便被立爲太子，但是朱祁鎮也和所有的太子一般，在成長的幼年歲月，沒有爹娘的疼愛，沒有兄弟姐妹的相伴，完全由宦官一手帶大，因此，宦官成爲太子心理上最親近的人，這是可以理解的。

尤其是，九歲的小毛頭，突然之間，一些個年紀可當他爺爺的長輩，全跪在地上喊萬歲，需要他的領導，內心實在是怕怕。

王振揑準了小皇帝的欠缺安全感，開始一步步實行擴權計畫。

閱讀心得

【第789篇】王振考前猜題。

小皇帝明英宗剛登上皇帝的寶座，司禮太監金英立刻把位置讓出來給王振，因爲金英知道，以後是王振的天下了。

司禮監是太監中的首席太監，負有批閱奏本，傳宣旨意雙重責任，並且經常可以假傳聖旨，因此，有人把司禮監視爲明朝的『眞宰相』。

金英原先也是炙手可熱的一號人物，在宣德七年，宣宗甚且賜金英免死詔，意思是不論金英犯了甚麼罪，准他免死，免死詔中，並且對金英大大褒獎了一番。

有人勸金英：『你手上既然有先帝賜給的免死詔，又德高望重，何必放棄司禮監這個肥缺？』

金英搖搖頭道：『你不了解，王振狡狠毒辣，詭計又多，我自知不敵，還是趁早下臺。』

金英說得不錯，王振的確有一套。

九歲的英宗，根本還是一個小孩子。英宗倒不是調皮搗蛋型的，相反的，英宗很內向，很膽小，很害羞，他自知任務艱鉅，心裡頭眞是害怕。

英宗披上了龍袍，戴上了龍冠，正式成爲九五之尊的天子。英宗站在銅鏡之前，左看看右瞧瞧，自己都覺得好笑，有點兒像小朋友演老生戲，

嗓音稚嫩，毫無威嚴。

正當英宗爲自己的娃娃模樣發愁之時，王振在一旁安慰道：『別擔心，一切有我。』

於是，王振仔仔細細告訴英宗，臨朝之時，會遇著哪些人，長相如何，個性如何，他可能會說些甚麼，英宗該如何裁示……

王振耳提面命，英宗敬謹受教。

就這樣，英宗先背熟了模擬題目，接著，照『王先生』所教的，深深呼一口氣，勇敢地接見文武百官。

照著王振的預先演練，英宗一下就認識了方臉是某某，粗眉是某某，果然，他們所上奏的，也正是王振事先猜題的。於是，英宗有條不紊地一一指示。可以看得出來，朝臣們的臉上都有驚奇的表情。英宗『考』得不壞，心中大樂。

一次兩次下來，王振都是料事如神，英宗對這位『王先生』是十二萬分地佩服，全心全意的依賴。

王振還會耍些小手段，讓英宗又敬又畏。

有一天，英宗與一個小太監在玩球，玩得興高采烈，臉上紅撲撲的，興奮地大呼小叫，他畢竟是個不滿十歲的孩子嘛，本來應該是玩球的年紀。忽的，英宗遠遠地看到王振走近了，臉色陰陰暗暗，英宗立刻把球一扔，趨前親熱地喊一聲：『王先生。』

王振故意板著臉，別過頭，不理會英宗，英宗嚇軟了手腳。王振存心建立起威嚴。因此，第二天一大早，英宗在內閣，王振突然下跪奏道：『先皇帝一球子幾乎誤了天下，陛下又跟先皇一樣喜歡玩球，江山社稷怎麼辦呢？』説著，聲調都哽咽了。

英宗沒料到王振有這一著，眼圈一紅，差點兒當場哭了出來，難堪得恨不得有個地洞可鑽進去。

楊士奇、楊榮、楊溥三位前朝老臣，一聽之下，倒是非常歡喜，連呼：『不想宦官之中，竟然有這一等人。』對王振是另眼相看。

英宗回到宮裡，悶悶不樂，他不明白王振爲甚麼要當場給他難堪，覺得好委屈，可又不能去向孫太后訴苦，孫太后母以子貴，加上她這個母親，本是搶奪宮女之子得來的，她根本沒有太多的母愛，英宗垂頭喪氣坐著發呆。

王振走過來，端來一盤熱騰騰的點心，慈愛地說：『都是你最歡喜的，快吃了吧！』

英宗感激地望了王振一眼，覺得心裡頭暖烘烘的，他心想：『還是王先生愛我。』而英宗別無選擇，只有更依賴王先生，整個人被他揑在手掌心。

王振兇過英宗之後，又扮作好人樣，鄭重地對英宗說：『因爲皇上年紀太小，想要樹威，還眞是挺不容易。』

英宗嚥下點心，用力地點點頭道：『這還得請王先生多多費心。』

王振皺著眉頭道：『只有用重典，讓他們知道皇上不是好欺負的。』

英宗道：『對，該讓大家知道，不可以不把朕放在眼裡。』

王振又說：『不如殺雞儆猴，眼前就是一個現成的例子，王驥奉詔赴邊界議事，已經遲到了五天還沒上奏。』

英宗回答：『遲個幾天是常有之事。』

王振搖搖頭：『不然，該把他下獄。』

『噢？』英宗不解。

『否則，以後聖旨就沒人理了。』

『對！』英宗怕人看不起，當下把王驥給關到大牢之中。

閱讀心得

【第790篇】

劉中敷舉枷罰站十六天。

明英宗九歲即位，心中惴惴，太監王振抓住明英宗的心理，慫恿英宗用重典以立威，明英宗立刻照辦。

首先遭殃的是兵部尚書王驥，他奉詔赴邊境議事，只不過是遲了五天沒有回奏，就不由分說被關入了大牢。由於實在找不出罪狀，過了幾天又被釋放出來。

除了兵部尚書王驥，他如禮部尚書胡濙，刑部尚書魏源，右都御史陳智，都因爲不同的原因入牢，而且沒有王驥的幸運。

例如戶部尚書劉中敷，向來以公正廉明爲人所稱道。正統元年，莫名其妙被逮捕入獄，由於張太皇太后的出面，給放了出來。

正統六年，劉中敷上了一個奏章，請求讓民間來牧養御用牛馬，其實這不是壞事。但是有言官參了一本，指責劉中敷『變動既有的成法』，又把劉中敷給關了起來。

劉中敷這一回的牢飯可難吃了，除了飽受階下囚的折磨，還多了一個『荷校』的新苦頭。

所謂『荷校』這是王振想出來整人的新花樣，他打造了許多輕重不等的枷，稱之爲『校』，從一二十斤至一百斤不等。然後，命令犯人用雙手扛

起這種枷來，一動也不動，乖乖地罰站示衆。

荷校不同於舉重比賽。舉重比賽舉一回，不過一下子，而且一定是孔武有力的人才有資格參加。『荷校』這一荷，往往是十來天，許多人往往是活活地被站死。

劉中敷當年曾經上過戰場，多少還有些底子，但是雙手高舉實在挺累的，尤其讓劉中敷難堪的，是他被罰站在長安門旁，許多民衆圍攏著看熱鬧。

不知情的小娃兒，還會問媽媽：『他爲甚麼站在這兒？累不累？會不會尿褲子？』

劉中敷閉上眼睛，淚水在眼眶裡打轉，内心裡有太多的不平與委屈，覺得強烈地受到侮辱。他被罰站了十六天，僥倖還沒死。

這正是王振的意思，他存心把朝官的尊嚴狠狠地踩下去，讓人家了解，現在是英宗，不，英宗背後的王振掌權。

王振的陰柔狠毒，張太皇太后早在正統二年就曾經發覺，並且準備剷除後患。

當時，英宗即位未久，軍國大事多取決於三楊（就是楊士奇、楊溥、楊榮）。有一回，楊士奇的公文還沒有批下來，王振等不及，就搶著做了，意思是不把楊士奇放在眼裡。楊士奇心中不悅，在家裡，整整生了三天的悶氣。

張太皇太后知道了，派人把王振找了來，一進來，就著實鞭打一番，並且怒斥『你還不趕快赴楊府謝罪。』

王振繃著臉，似有不服之意。

太皇太后冷冷地丟下一句話：『再敢如此，必殺無赦。』

不久，太皇太后召集張輔、胡濙、楊榮、楊士奇、楊溥入朝，太皇太后左右女官，雜佩刀劍，侍衛凜然。太皇太后先問楊溥：『近來可好？』楊溥曾經是明仁宗的老師。有一回，仁宗迎接明成祖，不小心遲到了，明成祖發脾氣：『這是甚麼人教出來的？』於是，楊溥被錦衣衛抓入牢中，一關就是十年。楊溥是個夫子型的人物，不憂不懼，利用獄中時間把經史子集好好讀了幾遍。

太皇太后想起了前塵往事，對楊溥說：『先帝生前，時時惦記著你，屢次嘆息，不意今日你我能相見也。』想起了仁宗，太皇太后與楊溥，同時沈入了思念。

於是，楊溥落淚，太皇太后也跟著掉眼淚。她對侍立在一旁的小皇帝說道：『這五個人是先朝所留給你的，凡事你要與他們商量，他們不贊成，你就千萬不能做，記住了嗎？』

明英宗跪下來，認眞地回答：『記住了。』

接著，太皇太后彷彿下了重大的決心似的，宣召王振。等到王振一跪下來，太皇太后立刻如籠秋霜：『你，侍奉皇帝，種種不法！』她斷然說道：『賜死！』

『死』字一說出口，『宮正司』的女官，雙雙以白刃加頸，王振嚇得魂飛天外，頻頻用眼色向英宗求援。

小英宗見太皇太后要殺他最親密、最相信的王先生，就差沒當場哭了起來，他完全不知所措，只有雙膝落地。皇帝這一跪，五大臣也跟著下跪。太皇太后頗爲不悅：『皇帝還小，哪裡曉得這些人會爲國家帶來多大的禍害？』

可是，太皇太后又不能不賣五大臣的面子，因此，嚴正地訓誡王振：『我是看在皇帝與大臣的份上，今天饒了你，此後，你不准干預國事。』

王振自然趕快跪下來謝恩。

閱讀心得

【第791篇】李時勉鋼炮性格。

王振爲了立威，用荷校（命人雙手高舉重枷罰站）的方式修理人。但是，當他枷國子祭酒李時勉之時，卻踢到了鐵板，差一點激起監生們變亂。

李時勉具有鋼炮性格，他的一生極具戲劇化，值得介紹。

李時勉自幼擇善固執，拗強起來，連父母親都拿他沒轍。他幼年時，非常非常用功，到了冬天夜晚，又冷又黑，他還是怎麼也不肯早點休息。爲了禦寒，李時勉想出一個怪方法：他先用厚布把雙腳緊緊捆綁，然後把腳伸入木桶中，他就這麼怪模怪樣地，一個人大聲朗讀詩書。家裡的人看了是又欽佩又想笑。

十載寒窗的苦讀，李時勉終於在永樂二年考取進士，在文淵閣擔任編修太祖實錄，實錄完成以後，擔任翰林侍讀。

李時勉性情耿直，有話就非說不可，這種性格，讓他吃了不少苦頭。當時，明成祖決意遷都北京，徵求群臣的意見。誰都知道，成祖的意思，就是等著群臣誇他『英明』。偏偏李時勉不識相，上了一個奏章，條條列舉不可行之理。

成祖批閱奏章，看了一半，肝火旺盛，氣得把摺子揉成一團，『叭』一下，扔到地上。

過了一會兒，成祖氣消了大半，想起李時勉奏章之中，有些事情講得還挺有道理，又彎下腰，把奏章拿起來拜讀，並且照著實行了一些。不過，李時勉的話實在多了一點兒，沒多久，又因事下獄，吃了一年的牢飯，由於楊榮的舉薦，恢復原職。

復職沒兩天，李時勉就惹得明仁宗大大的不悅，恨透了李時勉，這是怎麼一回事呢？

原來中國人一向認爲『百善孝爲先』，孝順是最重要的事，所以，父母過世，守孝也是大事一件，非但不能結婚辦喜事，就是結了婚的夫妻也要保持距離。萬一在守孝這一年之中，不巧生了一個小孩，這小孩長大會被人指指點點，彷彿是極不名譽的事。

明仁宗這個胖皇帝，雖然仁孝，卻是非常好色，明成祖死了不久，他每晚都到妃嬪處尋歡作樂。

豈料，明仁宗夜夜春宵的事竟給傳了出去，旁人聽了頂多暗笑一番，偏偏讓李時勉這個夫子聽到了，他又愛君心切，惟恐君王名譽受損，因此，在奏章之中，帶了一筆『諒闇之中不宜近妃嬪。』所謂諒闇，指的是居喪期間。

明仁宗見到這一句話，整個人彷彿遭到了電擊一般，又羞又惱又氣，把李時勉叫來訓話。

明仁宗的原意，是希望李時勉承認自己聽錯了，皇帝也就放他一馬，不予深究。

但是，素來認眞的李時勉竟然回答：『此事不可能誤傳，內宮中應有記載，望陛下切勿文過飾非。』

明仁宗再也忍耐不住了，當場下令：『武士們，給我用金瓜打呀！』

李時勉連挨三個金瓜，肋骨被打斷了三根，人也昏厥過去，被關入錦衣衛的大牢之中。

說來也眞是僥倖，有一位千户，曾經受過李時勉的恩，某日，千户赴錦衣衛參觀，無巧不巧正遇著李時勉，興奮地驚呼：『這不是李恩人嗎？怎麼入了獄？』

李時勉把經過告訴千户，千户不敢批評皇上，只是說：『我認識一位海外名醫，對外傷最拿手。』

靠著千戶的照料，李時勉斷了三根肋骨，硬是沒死，也算奇蹟。

明仁宗想起李時勉，就忍不住牙癢癢的，他也擔心，萬一李時勉所提的那樁事，眞給記入了實錄，大大有損仁宗的清譽與形象。在仁宗看來，李時勉被武士用金瓜打成那個模樣，應該撐不了多久就會歸天了。

誰知道，仁宗打探的結果，李時勉竟然活得好好的，據說，比起入獄之時，還胖了一些哩。

倒是明仁宗，雖然正值四十八歲英年，身體愈來愈不行，拖到最後，他耿耿於懷的，就是沒殺李時勉。

仁宗對夏原吉說：『時勉當廷侮辱我。』

夏原吉只好婉言相勸：『陛下養病要緊，用不著把李時勉放在心上。』

仁宗卻愈發光火：『你不曉得他是如何侮辱我。』講著講著，眼圈都紅了，更加氣喘不已。

當天晚上，仁宗崩逝，卻因爲記恨李時勉，死不瞑目。

閱讀心得

【第792篇】

李時勉撿回一命。

明仁宗臨終之時，拉著夏原吉的手，念念不忘道：『李時勉當眾侮辱朕。』

宣宗即位不久，夏原吉便據實以告。

宣宗是個孝子，一聽此言，怒火沖天，高聲喝斥：『快、快把李時勉給綁來，朕要親自審問他，然後殺掉他。』

皇帝的命令豈可耽誤，於是，一批使者快馬加鞭赴李時勉處所。

隔了沒多久，宣宗又改變了主意，他對王指揮說：『此人當面侮辱先帝，我不要見他的面，你把他直接綁到西市給斬了。』

王指揮哪兒敢怠慢，馬上也出發了。

李時勉這個人也眞正是命大，當王指揮率領人馬出端西旁門之時，前面的一批使者已綁著李時勉，從端東旁門進入，剛巧岔開了，否則，李時勉就在西市問斬了。

明宣宗見到有人押上殿來，不用介紹，準是李時勉無疑，他遙遙指罵道：『你這個小臣，好大的膽子，居然敢觸怒先帝，你到底當時說了甚麼？趕快告訴朕。』

李時勉叩了一個頭，不疾不徐道：『臣言，守孝期間不宜接近妃嬪，

皇太子不宜遠離左右。』

本來準備大發脾氣的明宣宗，臉色漸趨和緩。其實，明仁宗做的這件事，宣宗比誰都清楚，而且不以爲然，尤其仁宗爲了掩人耳目，在守孝期間，命令宣宗遠赴南京，也讓宣宗心頭不是滋味。

所以，明宣宗非但不想殺李時勉，反而認爲他是難得一見的骨耿之臣，宣宗態度立刻有了一百八十度的轉變，親切和緩地對李時勉說：『你的奏章之中，還提到一些甚麼？』

李時勉又講了幾件，然後誠惶誠恐道：『臣實在記不清楚了。』

明宣宗正聽得有興趣，失望地問：『你的疏草還在嗎？』

『早在上疏時便燒了。』

原來，上給皇帝的奏章，不許保留底稿，這是規矩。

宣宗益發覺得，這個李時勉眞是不可多得的忠臣，對他大大誇獎了一番。

此時，奉命前往逮捕李時勉，卻不巧撲了個空的王指揮趕回宮中，卻發現李時勉閒適從容，與宣宗有說有笑，宣宗更是滿面愉快。王指揮不禁慨歎：『眞是人生如戲。』

於是，李時勉被擢爲侍讀學士。有一回，明宣宗赴史館，忽然之間，一時興起，像散財童子一般，把手裡的金錢給撒了滿地，所有的臣子，個個興奮地彎下腰來搶，獨有李時勉昂然屹立，他不肯玩這種沒有格調的遊戲。

宣宗很欣賞李時勉的傲骨，特別賜給他一些錢。李時勉年紀大了，想要退休，但是，宣宗說甚麼也不肯，君臣二人相處甚歡。

宣宗在位十年去世，英宗小皇帝即位，王振掌權。以李時勉方正的個性，對王振這種奸惡的宦官，自然是沒有甚麼好臉色的。王振過生日，百官道賀，李時勉是當然缺席。

有一回，李時勉奏請改建國學，英宗命令王振前來探視。王振到任何地方都是張牙舞爪、橫眉豎眼，李時勉看不過去，勉強把怒氣給嚥了下去，王振呢，他也嫌這個老頭兒態度不夠恭敬，非得想辦法治一治。

但是，李時勉以清廉著名，雞蛋裡挑不出骨頭，王振頗不甘心。有人獻計：『李時勉曾經在修彝倫堂時，爲了除草，把大樹給砍了。』

王振問：『這算甚麼罪？』

『咦，擅自砍伐官樹啊，而且，愈算不得罪，愈要治他，讓他曉得厲害。』

因此，王振就以李時勉亂砍樹木的荒誕理由，下令逮捕李時勉。官役赴國學拿人時，李時勉正在東堂改考卷，他也不驚也不慌，沈穩地批完卷子，跟著去。

王振存心讓李時勉過不去；特別製了一個一百斤的枷，留給李時勉消受。李時勉既來之，則安之，他笑笑地回答：『老夫筋骨甚堅。』便乖乖地荷起一百斤重的枷，站立在國子監門口，汗流浹背地站了三天。

這三天之中，李時勉的眾多門生陪著他站，眼看著士林望重的學者，毫無理由受此酷刑，許多學生忍不住嚶嚶哭泣。

監生李貴率領了一千多名學生，直直跪在宮門口請願，呼聲響徹雲霄，另有一個叫石大用的人，則上奏章，表示願意代替李時勉受罰。

事情鬧到後來，孫太后的父親孫忠也知道了，趁著過生日，太后派人來送禮，悄悄要使者轉奏太后：『再鬧下去，恐生變亂。』

太后急著找英宗，英宗根本蒙在鼓裡，立刻釋放了李時勉，但是，英宗對王振王先生的信賴，卻不因此而稍減。

閱讀心得

【第793篇】

王振自比周公。

明英宗年幼無知，被宦官王振牢牢控制，張太皇太后警告王振『不准干預國事』。王振害怕太皇太后隨時會取他的性命，一時之間，倒還不敢過於張狂。

但是，太皇太后畢竟年紀大了，到了正統六年，開始身體大不如前，王振心頭暗喜，準備大幹他一場。

有一回，皇宮之中，三座新宮殿落成，英宗宴請文武百官。按照規矩，宦官即便得寵，也還沒有資格赴宴。

當天早上，英宗循例派人去看看『王先生』，這不去還好，一去之下，王振勃然大怒：『周公輔成王，我還沒資格赴宴嗎？』

乖乖，王振竟然把自己當成周公了。周公是成王的叔叔，他不過只是皇帝身邊的太監啊。

但是，英宗平時對王振，左一聲王先生，右一聲王先生，可能比周朝時，周成王對周公還要服貼順從。

因此，當英宗聽到王振動怒，他竟然頗爲自責，立刻派人把中門打開，讓王振赴宴。

王振挑高眉毛問使者：『噢，現在又可以去了嗎？』

於是，王振大搖大擺步入中門，趨炎附勢的大臣們一起彎腰候拜，王振這下可樂了。

正統七年，張太皇太后崩逝。王振咬牙切齒道：『終於等到這一天了。』太皇太后的喪事還沒有辦完，王振就下令：『把宮門那塊鐵碑給我扔掉！』

原來，宮門上豎立著一塊『內臣不得干預政事』的鐵碑。這是明太祖時，有鑒於前代宦官之禍，唯恐後代子孫不察，特別鑄了這麼一塊鐵碑，用以提醒後人。明太祖若是地下有知，看到王振如此囂張，定要指著明英宗，痛斥『子孫不肖』。

張太皇太后歸天，王振遂了心願。但是，另外還有其他五大臣——張輔、胡濙、楊士奇、楊榮、楊溥也是王振的眼中釘，非一一拔除不可。

稍早之時，王振曾跑來找楊士奇與楊榮，極有深意地說：『國家大事，全靠三位老先生，不過三位老先生，也都高年倦勤了，以後該怎麼辦呢？』

『身爲老臣，』楊士奇接口：『自當鞠躬盡瘁，死而後已。』

『不，老先生，你怎能如此說話？』楊榮順著王振的意思道：『我輩已老，自當選擇年富力強的人，以人事君，報答國家的厚恩。』

王振很高興地拜別二楊。

王振走後，楊士奇不禁埋怨楊榮：『王振早就討厭你我，方才的話，完全不懷好意，你難道聽不出來？』

『老哥哥，』楊榮解釋道：『王振討厭我們，我們就算能撐下去，他能甘心嗎？他大可以用閣中人少，閣臣年紀又大爲名，向皇上說項。一旦夜半宮門拋出半片紙，命某某人入閣，我們能夠抗旨嗎？倒不如讓他舉荐，諒他目前還不敢公然援引小人。』楊士奇點點頭：『還是吾兄看法高明。』第二天就舉荐了曹鼐等四人入閣。

後來，楊榮請假回福建掃墓，歸途在杭州病逝，得年七十。不久，楊士奇又請假回籍，王振心想『機會來了』，立刻暗中指示言官動手陷害楊士奇。

原來，楊士奇是個標標準準的君子，但是，楊士奇的長子楊稷卻是地方惡棍，曾經把人打死。

言官為此彈劾楊士奇，朝廷只把彈劾內容寄給楊士奇，表示不予追究。但是，言官又條條列舉楊稷十多條罪狀，遮都遮掩不住，只好把楊稷拘繫大理寺，暫時不開庭審理，英宗且在王振的建議下，下詔安慰楊士奇。楊士奇一生嵚崎磊落，見到英宗的詔書，老淚縱橫，大嘆養子不教誰之過，他自覺無顏再上朝廷，一直不肯銷假。過了不久，憂急攻心，一病不起，含恨逝世。

三楊之中，楊榮、楊士奇都走了，楊溥更覺勢單力薄，起不了作用了。此外，本來最為仗義敢言的張輔，也愈來愈沈默了。

原來，張輔只有一個兒子，很小就夭折了，中國人一向講究不孝有三、無後為大，張輔為此耿耿於懷，總覺得自己對不起張家的列祖列宗。

一直到他六十七歲時，他一個小妾幫他生了一個小男孩，全家人都樂瘋了，張輔取名為張懋，並且對人說：『我年近古稀，去日無多，兒子還這麼小，萬一不小心得罪了王振，待我歸天，懋兒可慘了。』

所以，張輔也自動封口不言。

朝中正直大臣于謙，不禁慨然言之：『唉，今日朝廷柱石，都因為家累而累國，誠我大明朝之不幸也。』

閱讀心得

【第794篇】

王振唸佛。

明英宗寵信宦官王振，王振氣燄日益高張，他自認為學問淵博，且以虔誠的佛教徒自居，經常唸佛、拜懺與禪修。

王振手腕上總是掛著一串唸珠，終日阿彌陀佛唸個不停，王振又歡喜告誡別人：『世間有因果，不造惡業就不墜地獄，行五戒十善就得人天福報。』

一般人看到王振一臉肅穆，動輒勸人的莊嚴法相，準會被他給矇騙過去，誤以為王振若是不做宦官，一定上山修行去了。

其實，王振豈是六根清淨之人，又哪裡是不做壞事的人。關於這一點，王祐再清楚不過了。王祐外貌不俗，十分清麗，皮膚光嫩嫩柔滑滑，吹彈可破，彷彿是牛奶做的美男子。古代男子蓄長髮，因此，王祐只要換上羅裙，就是一位嬌滴滴的姑娘。

王祐了解王振，雖然時時口說佛法，內心卻最為貪婪，因此，王祐不時地獻上厚禮，王振內心裡，實在樂得很。

有一次，王振接過王祐送來一對雕工精細的玉獅子，忍不住對王祐說：『假如多有幾個像你這樣的可人兒，那該有多好？』說著，王振的手，不斷地撫摸溫潤的玉獅子。

王祐笑容滿面的接口：『這不是難事，包在我身上。』原來，王振一向自我標榜，長年茹素，又經常勸人戒貪，如此一來，送禮的人自然卻步，讓王振好是著急，又不方便自己拉下臉來。王祐知道王振的心意，不斷地送禮，讓王振好生歡喜，如今王祐願意把王振的心意傳達出去，王振眞是無比喜悅。

當天晚上，王祐在一個宴會上對在座的大臣們說：『我們常常相互以禮物餽贈，可是各位有誰送過禮物給王先生？』

『送禮給王振王先生？』工部徐侍郎立刻接口道：『那怎麼成？王先生吃齋唸佛，常常告誡我們勿貪，他怎麼會收禮啊？』

『對啊！送禮給王先生一定會被王先生罵一頓，自討沒趣。』禮部張侍郎搖著頭說。

『各位，你們錯了！』王祐提高了嗓門。

『錯了？』全桌的人都驚愕地嚷了起來。

『不錯。』王祐清一清喉嚨，用威肅的口吻說：『我常去看王先生，我知道王先生的看法，王先生認爲送禮表示禮貌，不送禮就是沒禮貌，看不起對方，這送禮的事和貪不貪沒有關係。』

『眞是高明，領教領教，大家敬你一杯！』全桌的人，一同舉杯向王祐表示感謝。

官場中人大多懂得揣摩上意，經過王祐的宣傳，有人試著送禮給王振，王振收了禮，而送禮的人不是升官就是得了別的好處，於是，送禮給王振成為京城裡的一股風氣，大家不但競相送禮，而且比誰的禮送得厚，樂得王振心花怒放。

王祐辦事，王振放心，王振自然對王祐多誇了幾句，王祐精敏，立刻下跪，親熱無比高喊：『翁父。』

王祐成了王振的乾兒子，父子二人都有說不出的欣喜。

由於王祐貌美，擅長修飾，又歡喜故作小兒女態，王振時時吃他的豆腐，或是摸摸他的小白臉，或是玩弄他的頭髮，甚且把手搭在王祐的肩膀上，摟摟抱抱，王祐就依在王振懷裡撒嬌，也不覺得不好意思。

有一回，王振趁著酒興，又開始了裝瘋賣傻，王振瞇著醉眼，對王祐說：『你坐過來。』

王祐最聽翁父的話，立刻依偎一旁。

王振對著王祐猛瞧，王祐粉臉低垂。王振讚歎道：『你的皮膚眞好，乾乾淨淨，宛若凝脂。』

王祐低低笑著：『多謝翁父誇獎。』

王振盯著王祐看了半天，一隻大手不老實地在王祐臉上隨意亂摸，突然之間，摸到了王祐的唇邊，又細又軟，王振半開玩笑道：『王祐啊，你怎麼沒長鬍子？』

在中國男人看來，沒長鬍子，表示缺乏男子氣概，是件丟臉的事。

王祐卻笑嘻嘻回答：『老爹無鬚，兒子豈敢有鬚？』

王振是宦官，不會長鬍鬚，王祐不是宦官，卻是標準的娘娘腔，小白臉，王祐肉麻當有趣，王振聽了，卻十分地受用。

從此以後，王祐更是身價百倍。

這件事傳揚開了，許多人背地裡，都把王祐無鬚當笑話講，王祐知道了，卻也不以爲忤，顯然王祐從外表看來，臉皮細薄，其實，臉皮厚得很哩。

閱讀心得

【第795篇】

劉睿向王振學佛。

王祐為了巴結宦官王振，不但尊之為翁父，甚且以『老爹無鬚，兒子豈敢有鬚。』的肉麻話，用來解釋何以自己唇上無毛，不像是一個男人，許多人聽了，都大呼：『受不了，太噁心了。』但是，也不乏暗中羨慕王祐者。

其中劉睿就是最為吃味的一人。劉睿官拜吏科給事中，職位不算小，不過，人往高處爬，官位權勢永遠不嫌大。劉睿終日手捧易經，卜來算去，希望能夠看出端倪，何時可以升官。他的禮也送過了，也找人去說過情了，燒香燒了半天，就是沒有動靜。

劉睿聽說了王祐的笑話，他可不認為是笑話，他時時端坐在銅鏡子之前，撫摸著自己一張如風乾橘子皮般的老臉，上面坑坑洞洞、高低不平，再往下看脖子，鬆鬆垮垮的一張皮，不但皺紋多得像黃河長江，甚且還有支流哩。

劉睿對著鏡子，長嘆一番之後，猛拍大腿：『也罷，看我劉睿也有劉睿的本領。』

第二天，劉睿算準了王振將經過某一條路，他就直挺挺地跪在路旁。

中國人歡喜看熱鬧，大家不約而同，圍攏過來，指指點點，不明白何以一

位頭頂烏紗帽的官員，竟然跪在道旁。

不一會兒，王振經過，劉睿不但跪著，並且不斷地叩首，王振大驚，連忙停下來，找劉睿問話。

劉睿早準備了一番演講辭：『韓愈曾經說過，聞道有先後，術業有專攻，任何學問都應該求教於明師。在我看來，佛法是這般的美好，懂得的人卻是如此之少，我希望能在公餘之暇，弘揚佛法、普度眾生。久聞先生在禪修方面的功夫，敬請王先生指教一二。』

劉睿當著眾人面的一番馬屁，把王振捧得五臟六腑有說不出的舒坦，尤其劉睿一臉懇摯，似乎字字句句發自肺腑，王振原本是有自卑感的宦官，因此，對劉睿的吹拍，格外有一層舒暢的感受。

所謂人之患，在於好爲人師，劉睿一副執弟子禮的模樣，使得王振立刻擺出道貌岸然的威儀，摸著念珠對劉睿道：『信佛與民間崇拜鬼神不一樣，信仰佛教必須皈依佛法僧三寶，有機會我向你解說一下。』

於是，劉睿不但到王振面前討教佛法，更重要的是，如願以償，先升爲戶部左侍郎，又升爲戶部尚書。

既然有人跪在道旁，討教佛法，王振更認爲自己了不得。

王振拜佛，除了以佛教做爲幌子，讓人家誤以爲他是一個慈悲心腸的人以外，還有一個更重要的理由，那就是王振與魏晉南北朝的人一樣，擔心作孽太多，死後下地獄，所以王振的『誦課』，倒是做得相當勤快。

王振家裏，有一間大佛堂，佛堂前擺設著香、花、燈、果、淨水與素食。佛堂裏每日有小太監打掃得一塵不染，莊嚴肅穆。

有一天清晨，王振的姪兒王山，匆匆忙忙趕了進來，嚷著要見王振。小太監『噓』的一聲，禁止王山：『王先生在誦課，交代下來，任何人任何事不得打擾。』

王振誦課花的時間是很長的，先是燒香、獻供及頂禮三拜以後，早上誦《大悲咒》三遍至七遍、《心經》一遍、三稱摩訶般若波羅蜜，然後，唸阿彌陀佛或觀世音菩薩一百零八遍，再唸普賢菩薩十大誓願。最後是三皈依，唱迴向偈：『願消三障諸煩惱，願得智慧眞明了，普願災障悉消除，世世常行菩薩道。』然後頂禮三拜，課誦完畢。

王山站在佛堂外面，著急地踱來踱去，遠遠望見王振一臉肅穆，沒完沒了，王山搓著手，不耐煩透頂。

王振課誦完畢，看到王山，立刻把王山拉入佛堂，對他說：『我告訴你，華嚴經是大方廣佛華嚴經的簡稱，在中國歷史上，自佛教東來，初譯華嚴，是東晉時的佛駄跋陀羅，他譯的是六十卷的華嚴……』

王山對佛經全無興趣，心裏又著急，王振的話，對他來說像是催眠曲，不覺眼皮下垂，昏昏欲睡，卻又不敢眞的睡著。

王振愈講愈有勁，完全沒想到王山竟『敢』不聽。他發揮傳教的精神，對王山說：『你如果拜華嚴經，你就唸：南無大方廣佛華嚴經，南無華嚴海會佛菩薩。』

王山不停點點頭，不知是王振的教導，還是打瞌睡，當然，王振以爲是孺子可教，對王山說：『你既然懂了，就不妨跟著我唸。』

王山無可奈何，亂七八糟跟著咿唔一番。

唸了幾遍，王振停了下來，王山作了一個深呼吸，打起精神，王振一看王山的表情，問道：『你有沒有覺得，唸了幾遍後會開了悟，得了智慧，修行愈深，悟性日高？』

王山拚命點頭：『果然如此。』

閱讀心得

【第796篇】

匿名信風波。

宦官王振，明明是個殺人不眨眼的厲害角色，卻偏偏歡喜修禪拜佛，以虔誠的佛教徒自居。

一日，王振的姪兒王山有要事求見，王振正在拜佛，折騰了好一陣子。好不容易，王振停止了傳教，王山趕緊開口：『叔父，我有重要事求救。』

『不急。』王振慢條斯理道：『如今螃蟹正肥，昨天有人送來滿滿一大缸，正用雞蛋白餵著，咱們先吃了螃蟹再說。』

王山一聽，忙嚥口水，在王振家吃蟹，誠乃人生之一大享受，王振家裡有特製的小木槌小木墊，用黃楊木做的，小巧可愛，用來敲敲打打，可以免去手剝牙咬之勞。

王振歡喜賣弄學問，他對王山說：『晉書畢卓傳中有這麼一首詩：右手持酒杯，左手持蟹螯，柏浮酒船中，便足一生矣。』

王振雖然附庸風雅了一番，他活吃螃蟹的模樣，卻極爲野蠻。

王振取來一隻活蟹，兩個指甲狠狠地掐住螃蟹蓋子，任牠雙螯痛苦地亂舞，然後，輕輕地把脚掰開，『咔嚓』一聲把螃蟹殼揭開，然後，扯得碎碎的，沾了芥末、醋，放入口中大嚼，然後，端起酒杯，喝了一口香醇撲

鼻的美酒，不自覺地伸出舌頭舔舔自己的嘴唇，彷彿滋味無窮。

王山在一旁，看得既驚心又噁心，他很想問王振：『叔叔，你貪戀美食，不論魚蝦螃蟹都歡喜活吃，尤其偏愛吃猴腦，又老說自己是慈悲爲懷，這豈不是一大矛盾嗎？』

當然，王山可沒敢開這個口。

王振和王山吃完了螃蟹，喝了一碗鮑魚粥，王振這才問王山：『你一早趕來，究竟是爲了什麼？』

王山不好意思地說：『我最近與華嵩爲了一個妓女，鬧得不甚痛快。』

王振挑起了眉毛，用太監特有的尖細嗓子追問：『就是那一個武功中尉指揮使嗎？這小子打狗也不看主人面。』

『可不是嗎？他欺負我，就是不把叔叔放在眼裡。』王山趕緊火上加油。

『這還不容易嗎？』王振陰險地笑一笑道：『看我把華嵩的頭髮剃個精光，塗上油漆，再讓他在妓女户門前，舉枷罰站，你看可好？』王振此時臉上，露出猙獰殘忍的笑容，完全不是方才在佛堂裡，開口閉口修行學禪的仁者了。

另外一方面，王振唯恐別人不曉得他信佛，於是，大量地發給『度牒』，培養大批和尚。

原來，明朝的和尚是要領執照的，否則就不能夠享受政府給予和尚的許多優待，這執照度牒是要經過考試才發的。從洪武二十六年起，每三年一次考試僧徒，凡能熟通經典者才發給度牒，相當嚴格。王振當權以後，就從寬錄取，在正統五年，半年之間，竟然發出兩萬兩千三百張的度牒。

正統十三年，王振重修慶壽寺，花掉了幾十萬兩的銀子，改名爲大興隆寺，富麗又堂皇，王振滿足了自己拜佛的心願，對自己能夠『做善事』沾沾自喜。不過，京中卻流行著一首歌謠諷刺王振：『竭民之膏，勞民之髓，不得遮風，不得避雨。』如此用民脂民膏來修廟，菩薩如果眞的有知，不曉得還會不會保佑王振。

有一個在錦衣衛裡擔任衛卒的王永，他是個眞正悲天憫人的佛教徒，對王振的所作所爲是十二萬分的不滿。

王永時時向妻子抱怨道：『王振這般的小人，竟然到處自吹自擂，彷佛是一代之師，簡直是玷辱了佛教，身爲佛門弟子，實在是看不下去，若是王振繼續這般弘佛，誰還會再信仰佛教？』

王妻也是一個虔誠的佛教徒，雖然家境不豐，卻不斷地賙濟鄰人，她長長嘆一聲道：『王司禮畢竟是王司禮，我們能有什麼辦法，不理會也就是了。』

王永一拍桌子道：『不成，我一定得想個辦法治一治他。』

『你一個小小的衛卒，又能如何？』王妻婉言相勸。這一句話卻傷了王永的自尊心，他摔下碗筷，憤憤地離開飯桌，丟給妻子一句話：『你等著瞧，王振的死期不遠了。』

王妻急壞了：『你可別做傻事，別想行刺啊。』

王永笑道：『你想到哪兒去了？我上有高堂，下有妻小，豈會衝動。』

說罷，王永神秘地一笑。

王永的神秘笑容，說穿了一點也不稀奇，他寫了一封匿名信，呈給皇帝，檢舉王振種種不法惡行，在王永想來，皇帝英明，一定是毫不知情，才會這般縱容王振。

王永的檢舉信，還沒有送到皇帝的面前，就先落到了王振的手裡，王振勃然大怒，展開地毯式的全面搜查，並且一人一人核對筆跡。

最後，一心一意替天行道的王永被逮著了，在菜市上當場被磔死（磔音哲，是古代分裂肢體的一種刑罰）。

王振這一著，狠狠地把朝廷上下給嚇壞了，從此以後，朝臣更是爭相阿附，望風而拜，人人呼之爲『翁父』。

閱讀心得

【第797篇】

王振詐取夜明珠。

王振打著佛門子弟的名號，其目的是掩飾他小人本色，吳澄就是沒有摸清楚王振的性格而遭殃的。

吳清和吳澄兩兄弟都在京師任官，吳清任吏部主事，吳澄任户部科給事中，兄弟倆都清廉耿直，不過哥哥吳清比較圓通，吳澄則較爲剛直。

有一天，王振召集幾位大臣到朝房議事。

『各位大人。』王振用緩慢的語調說：『宮裏吃的白米，我想向北京的裕成米行採購，各位意下如何？』

宮裏的米一向由官倉供給，王振突然提出要向民間採購，事情有些突然，大家都楞住了，沒人答話，吳清卻表示反對：『向民間採購白米恐怕會擾民，還是由官倉供應比較好。』

『官倉的米品質比較差，我是爲皇上著想，想換好一點的米。』王振的臉色沈了下來。

官倉的米會差？這才怪哩！但是，誰也不明白王振的葫蘆裏到底在賣什麼藥。

『翁父忠於皇上，向裕成米行採購是好事。』戶部李侍郎立刻接口。

『吳清不識大體，應該照翁父的意思辦事。』禮部楊侍郎也附和著。

『很好！』王振點頭道：『爲了愼重起見，我明天會親自到裕成米行走一趟。』

晚上，吳澄來看哥哥吳清，吳澄說：『聽說你今天反對王振向裕成米行採購白米。』

『是的。』吳清道：『老百姓最怕跟官府打交道，宮中如果向裕成米行買米，會付錢嗎？縱使付錢，會付多少？什麼時候付？米行的老闆怎敢向王振要錢？我看裕成米行要破產了，我是替老百姓擔憂啊！』

『可是，王振是用皇上做大帽子。』吳澄說：『你反對，豈不是你不愛護皇上。』

『唉，皇上恐怕根本不知道這一回事。』吳清道。

第二天，王振帶了幾個大臣準備到裕成米行去，其中當然沒有吳清。

在王振出發之前，王祐已經先到達裕成米行，裕成米行的趙老闆聽說宮中要向他買米，嚇得幾乎昏倒。

『趙老闆。』王祐喝了一口茶，輕聲地說：『我知道你很害怕，所以我一早來到你店裏，就是想要幫你的忙。』

『王大人，請你指教，我這小店實在不配做宮裏的生意，如果能請宮中另找別家，我會感激不盡，我會好好謝謝你的。』趙老闆拱著手，一臉焦慮的神情。

『我能體會你的心情。』王祐站起來，在客廳裏踱著步，『聽說你最近得到一顆夜明珠，乃是稀世的珍寶，如果你肯獻給王振王先生，我想事情就好辦了。』

『這個，』趙老闆心頭一驚：『夜明珠是我用一萬兩銀子買來的。』

『當然，夜明珠是很寶貴的。』王祐對趙老闆說：『可是，你整個店和夜明珠比一比，哪個更重要？』

趙老闆沈思了一會兒，終於作了一個痛苦的決定，『好吧，我把夜明珠拿出來。』

趙老闆從內室裏拿出一個錦盒，交給王祐說：『王大人，一切仰仗你啦！』

『沒問題。』王祐笑咪咪地接過錦盒，『你可以保住你的店，不過，等一會兒王先生會帶十位大人一起來你這兒，那十位大人，你也不能不表示一點意思吧。』

『我只有一顆夜明珠啊！』趙老闆瞪大了眼睛。

『當然不是夜明珠。』王祐附在趙老闆耳邊說：『十位大人，每人一錠金元寶就成了，你趕快到附近的金鋪去吧。』

不久，王振帶著九位大臣來到裕成米行，王祐和趙老闆在門口恭迎，王振等人來到客廳，大模大樣地坐了下來。

『翁父，趙老闆孝敬的一點小意思。』王祐把錦盒捧給王振，笑咪咪地眨眨眼。

『嗯！』王振用手一指，要王祐把錦盒交給小太監。

『各位大人，』王祐又捧了一大堆小盒子，每個盒子裏放了一個金元寶，送到各位大臣面前，『這是趙老闆的一點小意思，請各位大人哂納。』

『趙老闆，』王振的語氣充滿權威，『宮中本來想向你買米，現在我自己來看一看，覺得你的店太小，供應不了宮中的需索，所以我決定作罷，不向你買米了。』

『謝謝，謝謝各位大人。』趙老闆跪在地上叩頭，淚水不知不覺地奪眶而出，不知道是捨不得那顆夜明珠和十錠金元寶，還是對王振的寬宏大量感激涕零。

王振和幾位大臣回到朝房，在門口遇到吳清。

『吳大人，』王振詭譎地一笑，『我覺得你說得對，官府不要擾民，所以，宮中的白米不向裕成米行購買了。』

『王先生睿智。』吳清嚴肅地向王振一拜，『這才像王先生唸佛濟世的做法。』

王振回到家中，命人把馬順找來。

『吳清那傢伙不通人情，處處跟我作對。』王振恨恨地說：『你設法加他一個罪名，把他除掉。』

第二天上午，吳清去上朝，有人抱著一個大木盒來到吳清家中，把木盒交給吳清的妻子。

『我家老爺交代不能收任何人的禮物。』吳妻說。

『沒關係，是吳大人的好朋友工部劉大人送的，吳大人回來就知道了。』來人放下盒子轉身便走。

吳妻看著桌上的木盒，考慮是否要打開來，馬順帶著一批衙役闖了進來。

『把木盒打開。』馬順命令衙役。

木盒打開，赫然是一盒銀子，一條一條整齊地排列著。

『這是贓物，把它帶回去。』馬順高叫道。

於是，吳清被東廠收押，判了一個貪贓收賄的罪名，處以死刑。

吳澄得知吳清被東廠扣押，連夜寫了一份辭職書，託朋友遞呈上去，自己則催促妻兒，趁天未亮，扮成百姓模樣，逃出京城。

王振看到吳澄的辭職書，立刻命馬順去捉拿吳澄。

『記住，』王振對馬順說：『吳澄和吳清一樣，都不是好東西，斬草除根，把吳澄加一個共同貪污的罪名，一起幹掉。』

馬順來到吳澄家，發現吳澄一家人已經逃跑了，沒有人知道吳澄的去向。

閱讀心得

【第798篇】

劉球還魂。

王振手段毒辣，人人畏懼，稱之爲『翁父』。翁父被捧在雲霄，於是，一連發動了兩次大規模的戰爭，一是征麓川之役，一是征瓦剌之役。麓川是雲南與緬甸之間，伊洛瓦底江畔的一塊小小的地方，當明太祖派傅友德平定雲南的時候，曾經把這一塊地方收復，建立了一個麓川宣慰司，以土酋擺夷人思倫發做爲宣慰使。

所謂思倫發，發是王的意思，思倫爲其名字。英宗即位之初，思倫發的兒子思任發即位，勢力強大，侵略雲南邊境，不願意接受明朝政府的拘束。以後，麓川與明朝之間，斷斷續續有小規模的戰役。

到了英宗正統五年，思任發覺得長期作戰，也實在是累壞了，於是，遣使入朝，表示想要言和，王振卻是極力主戰。

翰林侍講劉球看不下去，上書皇帝，坦率地表示，不能贊成出兵。

劉球是永樂十九年進士，曾經家居研究學問十年，跟著他求學的人很多。後來入朝，擔任禮部主事、翰林侍講，爲官清廉，爲人敬重。

劉球的弟弟劉玭在莆田爲官，曾經送了一塊當地土產的夏布給他，這夏布也不是什麼名貴東西，說是土產，還眞是顏色鮮艷土裏土氣。

但是，劉球就把它當成一件天大的事，不僅把夏布奉還，還寫了一封

好幾頁的長信，硬是把弟弟教訓了一番。

劉球是堅決反對用兵的，他所持的理由是：『王師不可以輕易出發，麓川野蠻人的性格是不可能驟然改變，南方水旱災頻仍……凡此種種因素，都不宜在此時此刻出兵。』

此外，劉球另有一層很深的顧慮，他認爲，瓦剌才是明朝最危險的邊患，若是把甘肅的精兵調出去打麓川，導致北邊防空虛，萬一北方『有警』，該如何是好？

可想而知的，王振哪兒會肯聽劉球的話？於是，正統六年，明朝政府浩浩蕩蕩，發動十五萬人馬討伐麓川，勞民傷財，騷動天下。

到了正統八年，奉天殿遭到了雷擊。在中國古人看來，這一定是皇上做了失德的事，所以老天才要處罰他。因此，英宗不得不做做樣子，下詔要求大臣們上疏，直言時政。

既然是皇帝想聽直言，劉球就老實不客氣地參了一本，其中有一段：『政由己出，則權力不下移。過去，太祖太宗皆是如此。今皇上臨朝九年，日漸熟悉，願守太祖太宗成規，使事權歸一。』明眼人都看得出來，劉球希望皇帝獨立自主，別再事事讓王振給牽著鼻子走。

劉球有一個小同鄉，名叫彭德清，素行不端，劉球一向看不起彭德清，從來與他劃清界線。

彭德清逮住了報仇的機會，他對王振說：『你仔細瞧瞧，這不是含沙射影，指責你攬權嗎？』

王振本來就是攬權，但是，他卻忌諱別人說他干政。於是王振找來心腹爪牙馬順。王振對馬順說：『你今晚替我把劉球除掉，務必要乾淨俐落，不留痕跡，知道嗎？』

『是，遵命。』馬順恭敬地回答。

王振滿意地點點頭，轉身走向內室，踱進佛堂，對著幾尊佛像拜了三拜，然後盤坐在錦墊上，一臉虔誠的樣子。

這一天夜裡，劉球好夢正酣，突然，一條黑影從窗外一躍而入，劉球相當機警，立刻醒來，可是，一把冰冷雪亮的鋼刀已經架在脖子上了。

『你要幹什麼？』劉球驚慌地坐了起來。

『你誤國害民，罪大惡極。』黑影發出冷峻的聲音，原來是馬順。

『我劉球忠君愛國，太祖太宗可鑒。』劉球激動地說。

『好吧，就讓你去見太祖太宗吧！』馬順說著，手起刀落，劉球的脖子應聲而斷。

馬順拿起了床單，把劉球的屍體裹好，背在背上，飛躍而出，消失在黑暗之中。

第二天清晨，劉球的兒子發現父親失蹤了，床上留了一灘血，心知父親一定是遇害了，連屍首也找不著，一家人跪在佛堂前抱頭痛哭。

當然，有人暗地裡猜測劉球是被王振派人刺殺的，卻沒人會猜到劊子手是馬順。

馬順有一個兒子已經生了很久的病，整天躺在床上，馬順遍請名醫診治，兒子的病也漸有起色。有一天，馬順來到兒子的床前，兒子猛然坐起身來，抓住馬順的頭髮拚命扯，跟著一拳對準馬順的鼻子揮過去，力量奇大，打得馬順口鼻噴血。

『你這老賊，我打死你。』馬順的兒子發瘋似的叫著。

『兒子，你瘋啦！』馬順驚慌地跌坐在地上。

『我不是你兒子，我是劉球，我要你償命。』兒子的身體朝馬順撲過來，馬順本能地一滾，兒子的頭撞到椅子角，鮮血直流，氣絕身亡。

閱讀心得

國家圖書館出版品預行編目資料

全新吳姐姐講歷史故事. 37. 明代/吳涵碧 著.
--初版.--臺北市；皇冠，1995〔民84〕
面；公分（皇冠叢書；第2394種）
ISBN 978-957-33-1172-0（平裝）
1. 中國歷史

610.9　　84000130

皇冠叢書第2394種
第三十七集【明代】

全新吳姐姐講歷史故事〔注音本〕

作　者—吳涵碧
繪　圖—劉建志
發 行 人—平雲
出版發行—皇冠文化出版有限公司
台北市敦化北路120巷50號
電話◎02-27168888
郵撥帳號◎15261516號
皇冠出版社(香港)有限公司
香港銅鑼灣道180號百樂商業中心
19字樓1903室
電話◎2529-1778　傳真◎2527-0904
印　務—林佳燕
校　對—皇冠校對組
著作完成日期—1992年01月01日
香港發行日期—1995年09月25日
初版一刷日期—1995年10月01日
初版三十二刷日期—2021年05月
法律顧問—王惠光律師

讀者服務傳真專線◎02-27150507
電腦編號◎350037
ISBN◎978-957-33-1172-0
Printed in Taiwan
本書定價◎新台幣150元/港幣45元